pigion 2000

Blas ar y sgrifennu gorau yn y Gymraeg

Y gyfres hyd yn hyn:

Y teitlau nesaf:

Golygydd y gyfres: Tegwyn Jones

pigion 2000

T. GWYNN JONES

'Breuddwydion beirdd'

Golygydd y gyfres:
Tegwyn Jones

GWASG **Carreg Gwalch**

Argraffiad cyntaf: Tachwedd 1999

Rhif Llyfr Safonol Rhyngwladol:
0-86381-514-6

*Cyhoeddir o dan gynllun comisiwn Cyngor Llyfrau Cymru.
Cynllun y clawr: Adran Ddylunio'r Cyngor Llyfrau.*

*Argraffwyd a chyhoeddwyd gan Wasg Carreg Gwalch,
12 Iard yr Orsaf, Llanrwst, Dyffryn Conwy.
Ffôn: 01492 642031
Ffacs: 01492 641502
e-bost: llyfrau@carreg-gwalch.co.uk
lle ar y we: www.carreg-gwalch.co.uk*

Dymunir diolch i Hughes a'i Fab a Gwasg Prifysgol Cymru am eu cydweithrediad wrth gynhyrchu'r gyfrol hon ac am eu caniatâd caredig i gynnwys deunydd a gyhoeddwyd yn gyntaf ganddynt hwy.

Cynnwys

Cyflwyniad

Brodor o Fetws-yn-Rhos, sir Ddinbych, oedd Thomas Gwynn Jones, a anwyd yn y Gwyndy Uchaf yno yn 1871. Ni chafodd ond ychydig o addysg ffurfiol, ond ymrodd o'r dechrau i addysgu ei hun ar bob cyfle. Magwyd ef ar aelwyd ddiwylliedig, a'i dad, a oedd yn ffermwr, yn bregethwr cynorthwyol gyda'r Methodistiaid Calfinaidd, ac yn un a ymhyfrydai mewn barddoniaeth a llenyddiaeth. I'r cyfeiriad hwnnw y denwyd ei fab hynaf Thomas (ef ei hun a ychwanegodd y 'Gwynn' yn ddiweddarach), a chafodd le pan oedd yn ugain oed ar staff *Baner ac Amserau Cymru* a olygid ar y pryd gan Thomas Gee ei hun. Am y deunaw mlynedd nesaf bu'n newyddiadura ar wahanol bapurau yn Ninbych, Lerpwl a Chaernarfon, a threuliodd gyfnod byr yn yr Aifft yn 1905 yn ceisio adferiad iechyd. Yn 1909 trodd ei gefn ar newyddiaduraeth pan benodwyd ef yn gatalogydd yn y Llyfrgell Genedlaethol newydd yn Aberystwyth (a phan ofynnwyd iddo yn y cyfweliad gan John Ballinger, y Llyfrgellydd di-Gymraeg, a oedd yn deall y treigliadau yn Gymraeg). Symudodd o'r Llyfrgell i'r Coleg yn Aberystwyth yn 1913 lle bu'n ddarlithydd i ddechrau ac yna'n athro llenyddiaeth, ac yno y bu nes ei ymddeoliad yn 1937. Bu farw yn 1949.

Fel newyddiadurwr, cofiannydd, ysgolhaig,

llenor, bardd, a chyfieithydd, saif T. Gwynn Jones ymhlith y mwyaf amlochrog o'n gwŷr llên, ond yn sicr fel bardd mawr y rhagorodd ac y cofir amdano. Yn 1902 enillodd Gadair yr Eisteddfod Genedlaethol am ei awdl arloesol 'Ymadawiad Arthur', a agorodd bennod newydd yn hanes barddoniaeth Gymraeg, ac a roddodd daw am byth ar yr awdlau eisteddfodol hirfaith a lletholddiwinyddol a fu'n nodweddu'r maes am flynyddoedd cyn hynny. Enillodd ei ail gadair genedlaethol yn 1909 am ei awdl 'Gwlad y Bryniau', un arall mewn cyfres o gerddi mawr o'i waith ar destunau rhamantus, megis 'Tir na n-Og', 'Anatiomaros', 'Argoed', 'Madog', 'Cynddilig' ac eraill, ac sy'n mynegi ei ble dros warchod gwerthoedd gwâr yn wyneb y philistiaeth a'r trachwant a'u bygythiai, fel y gwelai ef bethau, yn ei gyfnod. Ceisiwyd dethol darnau o'r mwyafrif o'r cerddi hir hyn isod, er mor anodd, ac efallai anfoddhaol, y dasg honno mewn gwirionedd, ond gwelir yma hefyd gasgliad cynrychioliadol, gobeithio, o'r cerddi byrrach a luniodd. Uwchben rhai ohonynt ceir brawddeg esboniadol mewn dyfyniadau. Nodiadau T. Gwynn Jones ei hun yw'r rhain, a chodwyd hwy, gan dybio y byddent o ddiddordeb, o'r rhifyn hwnnw o'r *Llenor* a gyhoeddwyd er cof amdano yn 1949. Nodiadau golygyddol, ar y llaw arall, a geir uwchben y detholiadau o 'Anatiomaros', 'Madog' a

'Cynddilig'. Ni all detholiad byr fel hwn wneud tegwch llawn â gŵr mor amlochrog a thoreithiog â T. Gwynn Jones, ond y gobaith yw y bydd yn ffenestr fach y gellir gweld ei ysblander drwyddi.

Ystrad Fflur

*'Wedi treulio diwrnod yno yn chwilio am
weddillion Cristnogaeth'*

Mae dail y coed yn Ystrad Fflur
Yn murmur yn yr awel,
A deuddeng Abad yn y gro
Yn huno yno'n dawel.

Ac yno dan yr ywen brudd
Mae Dafydd bêr ei gywydd,
A llawer pennaeth llym ei gledd
Yn ango'r bedd tragywydd.

Er bod yr haf, pan ddêl ei oed,
Yn deffro'r coed i ddeilio,
Ni ddeffry dyn, a gwaith ei law
Sy'n distaw ymddadfeilio.

Ond er mai angof angau prudd
Ar adfail ffydd a welaf,
Pan rodiwyf ddaear Ystrad Fflur,
O'm dolur ymdawelaf.

Rhos y Pererinion

*'Rôs Ailithir neu Rôs Cairbre yn Iwerddon,
lle'r oedd ysgol enwog yn y ddegfed ganrif.'*

Pe medrwn ado'r byd a'i bwys,
Gofidiau dwys a blinion,
Ba le y cawn i noddfa dlos?–
Yn Rhos y Pererinion.

Er bod trybini lond y byd,
A'i flodau i gyd yn grinion,
Mae dysg a rhinwedd ddydd a nos
Yn Rhos y Pererinion.

O fyd y niwl, cyfodi wnaf,
A hwyliaf ar fy union
Dros fôr a thir a ffin a ffos
Hyd Ros y Pererinion.

Caf yno fyw dan fendith saint,
A braint eu glân gyfrinion,
Ac ni ddof byth i dir y nos
O Ros y Pererinion!

Ymadawiad Arthur

(Detholiad)

Yna e gludodd Bedwyr y Gwledig,
Dirus y cariodd ef dros y cerrig;
Gwyliai'r rhianedd bonheddig,
hwythau,
A'u mynwesau'n dychlamu yn ysig.

Breichiau glanach na'r sindal a'r pali
I'r gadair euraid a gaid i'w godi;
Gwynion ddwylaw fu'n gweini i'r
Brenin,
A rhoddi gwin i lareiddio'i gyni.

'Dioer, o mynnwch,' eb Bedwyr, 'i
minnau
Hoffed fu gynt, – ni pheidiaf ag yntau;
Ynghyd y buom yng nghadau, –
ynghŷd,
Iawn ein diengyd yn ennyd angau!'

Ebr un o'r glân rianedd:
'Arthur byth ni syrth i'r bedd,
A doethed ef, Dithau, dos,
Bydd ŵr a gwybydd aros!'

Bedwyr, yn drist a distaw,
Wylodd, ac edrychodd draw.

Yno, ag ef yn ei gur,
Y syrthiodd neges Arthur
Ar ei glyw: 'Bydd ddewr a glân,
Baidd ddioddef, bydd ddiddan!
Mi weithion i hinon ha
Afallon af i wella,
Ond i'm bro dof eto'n ôl,
Hi ddygaf yn fuddugol
Wedi dêl ei hoed, a dydd
Ei bri ym mysg y bröydd;
Hithau, er dan glwyfau'n glaf,
Am ei hanes, ym mhennaf
Tafodau byd, dyfyd beirdd,
Pêr hefyd y cân prifeirdd;
Pob newid, bid fel y bo,
Cyn hir e dreiddir drwyddo;
A o gof ein moes i gyd,
A'n gwir, anghofir hefyd;
Ar ein gwlad daw brad a'i bri
Dan elyn dry'n drueni;
Difonedd fyd a fynnir,
A gwaeth – tost geithiwed hir;
Ond o'r boen, yn ôl daw'r byd
I weiddi am ddedwyddyd,
A daw'n ôl yn ôl o hyd
I sanctaidd Oes Ieuenctyd;
A daw Y Dydd o'r diwedd,
A chân fy nghloch, yn fy nghledd

Gafaelaf, dygaf eilwaith
Glod yn ôl i'n gwlad a'n iaith.'

Hwyliodd y bad, a gadaw
Bedwyr mewn syn dremyn, draw.

Lledai'r hwyl gain fel adain ar ledwyr,
Yntau a glywodd o gant gloyw awyr
Ddwsmel ar awel yr hwyr, melysdon
Yn bwrw ei swynion ar bob rhyw synnwyr.

Mor dyner y diferai
A rhyw law mân drwy haul Mai,
A'r hud ar Fedwyr ydoedd,
A boddhâd pob awydd oedd;
Dyma'r glod ym miragl hwyr
A rywiog lanwai'r awyr:

'Draw dros y don mae bro dirion nad ery
Cwyn yn ei thir, ac yno ni thery
Na haint na henaint fyth mo'r rhai hynny
A ddêl i'w phur, rydd awel, a phery
Pob calon yn hon yn heiny a llon,
Ynys Afallon ei hun sy felly.

'Yn y fro ddedwydd mae hen freuddwydion
A fu'n esmwytho ofn oesau meithion;
Byw yno byth mae pob hen obeithion,
Yno, mae cynnydd uchel amcanion;
Ni ddaw fyth i ddeifio hon golli ffydd,
Na thro cywilydd, na thorri calon.

'Yno, mae tân pob awen a gano,
Grym, hyder, awch pob gŵr a ymdrecho;
Ynni a ddwg i'r neb fynn ddiwygio,
Sylfaen yw byth i'r sawl fynn obeithio;
Ni heneiddiwn tra'n noddo – mae gwiw foes
Ag anadl einioes y genedl yno!'

> Yn y pellter, fel peraidd
> Anadliad, sibrydiad braidd,
> Darfu'r llais; o drofâu'r llyn
> Anial, lledodd niwl llwydwyn;
> Yn araf cyniweiriodd,
> Ac yno'r llong dano a dôdd,
> A'i chelu; fel drychiolaeth,
> Yn y niwl diflannu a wnaeth.

> Bedwyr, yn drist a distaw,
> At y drin aeth eto draw.

Ynys Enlli

*'Wrth ei gweld o Aberystwyth un prynhawn
pan oedd cysgod ar y byd.'*

Pe cawn i egwyl ryw brynhawn,
Mi awn ar draws y genlli,
A throi fy nghefn ar wegi'r byd,
A'm bryd ar Ynys Enlli.

Mae yno ugain mil o saint
Ym mraint y môr a'i genlli,
Ac nid oes dim a gyffry hedd
Y bedd yn Ynys Enlli.

Na byw dan frad y byd na'i froch,
Fel Beli Goch neu Fenlli,
On'd gwell oedd huno dan y gŵys
Yn nwys dangnefedd Enlli?

Gwenoliaid

Eisteddant yn rhes
Ar wifren y telegraff;
Mae rhywbeth yn galw –
Crynant, edrychant yn graff.

Dechreuant drydar, –
Mae rhywbeth yn galw draw,
Hir yw'r chwedleua,
A phob un a'i gyngor wrth law.

Yna cyfodant
Bob un ar ei adain ddu,
Trônt yn yr awyr
Uwch ben ac o gwmpas y tŷ.

Ant yn llai ac yn llai,
Toddant yng nglesni'r ne;
Yfory, gorffwysant
Yn dawel yn heulwen y De!

Gwlad y Bryniau

(Detholiad)

A dydd a'i dywel melyn
Yn cyrraedd brig hardd y bryn
O'i lys uchel i sychu
Deigr nos oddi ar ddaear ddu,
O dan y swyn y dihunais innau
I geisio'r fyddin, – digysur feddau
Yno oedd dan garneddau yr oesoedd,
Hen a dwfn ydoedd hundai fy nhadau!

Hyd riw ag allt, dros dir gŵydd,
Gwisgai hydref gysgadrwydd
Niwl dieithr, yn ail dewin
A wyddai ryw ryfedd rin;
A deuthum innau o daith y mynydd
I le caeedig ynghanol coedydd,
Lle'r oedd heulwen ysblennydd yn cronni
Yn lli goleuni rhwng gwyll y glennydd.

Ger llwyn ar gwrr y llannerch,
Gwylio'n fud y gwelwn ferch,
Yn nhrwsiad glana'r oesoedd;
Ni ddywed iaith hardded oedd;
Sindal ei gwisg megis ewyn gwisgi
Trumau y don, oedd yn troi amdani,
A channaid don ei chnawd hi, pan wridai,
Ail gwin y rhuddai liw gwyn yr eddi.

Ei gwddf oedd gyfliw gwyddfid,
Yn dwyn rhyw iâs o'i don wrid,
A'i grudd fel ei graidd efô
Yr adeg y llawn wrido;
Ac mal ymylwaith o gwmwl melyn
Hyd ei hysgwydd, ei gwallt oedd yn disgyn,
Ag ar y pali gorwyn, fel eurdo
Haul a chwaraeo ar luwch yr ewyn.

Faswed oedd ei gwefusau
A'r pabi coch, coch, sy'n cau
O'i fewn ef wrid dyfna'i fron,
A'i gelu wrth ei galon;
Ond dôi i'w llygaid glas tywyll eigion
Ryw anesmwythyd oer neu siom, weithion;
Dyfryd ymchwyddai'i dwyfron gan guriad
Llanw disgwyliad ei holl nwydus galon.

A gwelwn ŵr glân ei wedd,
Esgud a balch ei osgedd,
I'r oed yn llys y coedydd
Yn dyfod o gysgod gwŷdd;
A lled agorodd moethus wefusau
Y deg a thonnodd gwaed i'w gwythiennau;
Taenodd, a'r pali tenau yn hyfryd
Wawrio tros ennyd fel gwrid rhosynnau.

Crymodd, daliodd ei dwylaw,
Chwarddodd, esgud redodd draw,
A maint y llamai yntau –
Iddynt, dim nid oedd ond dau!

'Dafydd,' eb hi, 'pe defod
Nef ei hun a fynnai fod
Rhwystr rhyngom, down, dros drengi,
Awn i wae'r tân erot ti!'

Eb yntau: 'Och, benyd hir
Bod funud hebod, feinir!
Morfudd fwyn, marw fydd f'enaid,
Am ein ffydd, â mi na phaid!'

Ond i'w chof daeth rhyw ofid,
O'i theg rudd yr aeth y gwrid;
Pylodd lliw'r rhos o'r pali,
Gwelwodd oll, ag wylodd hi:
'Heddiw, Dafydd, y deifir
Blodau ein heneidiau'n wir;
Yfory caf, i'r cwfaint
Ymado â serch ym myd saint!'

Eb yntau: 'Gwêl, band teg yw
Yn y cudd ddianc heddyw?
Morfudd, fy mudd, fy meddiant,
I'w noeth ddu gell, hwy ni'th gânt!

Mae ennyd yma inni,
Pryd eiry nef! prioder ni
Yn eglwys deg lwys y dail,
Llan gywair llwyni gwiail;
Gwêl, fûn hardd, golofnau hon,
O dderi cenwyrdd hirion;
Laned ei tho telediw
A'i mwsogl lawr cymysg liw;
Unsut rhwyll ffenestri hon
A brodwaith yr ysbrydion!
Pand caled penyd calon
Ddisgwyl yr awyr ddisglair hon!
Difrod maswddail a blodau,
Feddal dwf fydd wely dau,
A gwin i ddeufin hoff ddau
Deuwell na gwin y duwiau!'

Eb hithau: 'Gwae, pethau gwych
A fedri di pan fydrych!'

'Eithr a fydraf,' eb Dafydd,
'Hynny, ferch, cyn heno a fydd!'

Law yn llaw, dan flaenau llwyn,
Ymŵyrodd mab a morwyn,
Yn ddistaw ddwys at y ddau,
Daethant, a gwylient hwythau.
  Isel oedd eu sisial hwy,
  Distaw lafar destl ofwy;

Rhwng y bedw aeth y pedwar
I eglwys ddail briglaes ddar,
Ac ym mrys eu cam yr oedd
Traserch hyfryta'r oesoedd.
Hyd eglwys deg lwys y dail
Rhodiais, ond gwag yr adail,
A'r chwa fel tristion donnau
Uchenaid serch, yn dwyshau!

Eiliw Haul

(o Tir na n-Og)

Eiliw haul ar loywa heli,
Eilun nwyd fy nghalon i,
O, f'anwylyd, tynn fy nwylo
I'th eiddilwyn ddwylo di.

F'annwyl, agor d'addfwyn lygaid
Gloywaf fel y gwelwyf i
I oludoedd cêl waelodion
Glân a dwfn dy galon di.

Gwylia dithau, gwêl hyd eithaf
Eigion fy ngolygon i,
Yno gweli dân y galon
Lanwyd â'th oleuni di.

Dof yn ôl i dŷ f'anwylyd,
Heriwn wlad a nofiwn li,
Heb un ing wynebwn angau
Mal y down i'th ymyl di!

Anatiomaros

Un o ddoethion y llwyth Plant y Cedyrn oedd yr
hynafgwr Anatiomaros ('Eneidfawr') a adroddai wrth
ieuenctid y llwyth hwnnw am draddodiadau a gwrhydri
eu gwlad, Gwernyfed. Yn ail ganiad y gerdd, ac yntau
bellach yn farw, disgrifir defod y llwyth o osod ei gorff
mewn cwch, rhoi tân ar yr elor, a gadael i'r afon ei ddwyn
yn araf tua'r môr a'r machlud.

Hwyr oedd a'r haul oedd yn rhuddo'r heli
Wrth agor lliwiog byrth y gorllewin,
A dur nen dawel dwyrain yn duo,
Dwyshau y tir yr oedd y distawrwydd,
A pharai osteg ar su'r fforestydd;
A llif yr afon yn llwfrhau hefyd
O flaen y llanw, a ddôi fel yn llinyn
O wreichion gemog am grychni gwymon,
Neu asen grom ar ei thraws yn gwrymio;
A heidiau'r gwylain yn gweu drwy'i gilydd
Uwch ben yr afon, a'u chwiban rhyfedd
Megis rhyw alwad, galwad dirgelwch,
Galwad o'r môr am Gluder y Meirwon.
A'r haul megis pelen rudd yn suddo,
Un dres oedd euraid drosodd a yrrodd,
Fel heol dân dros fil o welw donnau,
Onid ergydiodd ei blaen hyd i'r goedwig,
Fel rhaeadr ufel ar hyd yr afon;
A thraw i ganol ei lathr ogoniant,
O ddirgelwch y coedydd i'r golwg

Y daeth rhyw fad, a dieithraf ydoedd;
Ei gafn oedd aruthr, o gyfan dderwen
Ar ddelw ederyn urddol a dorrwyd –
Y gannaid alarch, y gennad olaf;
A'i nawf yr un hoen â'r edn frenhinol,
Ymlaen yr âi ym melynaur ewyn
Y rhaeadr ufel ar hyd yr afon.

Hyd lan y môr o'r coed lwyni mawrion,
Daeth meibion cedyrn a glân rianedd;
Cerddent yno yn drist a distaw
Heb air dros wefus, heb rodres ofer;
Oni wybuant, ag ef mewn bywyd,
Na fynnai wylo rhag ofn neu alar?
Efô, rhag angen, fu orau'i gyngor,
Nad ofnai ingoedd na dyfyn Angau;
Y mawr ei enaid, y mwya'i rinwedd,
Draw y nofiai o dir ei hynafiaid,
A thân yn ei gylch a thonnau'n golchi,
I wynfa'r haul at yr anfarwolion.

Araf fudiad y bad a beidiai,
Yn safn y llanw y safai'n llonydd;
Yna'n y troad, a'r tonnau'n treio,
Cynt yr âi gan ysgeintio'r ewyn;
Ebrwydd o'i ganol, tarddai i'r golwg
Ryw egin tân; a'r eigion a'i tynnai,
Yn oddaith goch, nes gloywi o'r trochion
Fel ewyn tân ar flaenau y tonnau.

A llef a goded gan Blant y Cedyrn –
'Ar hynt y meirw, Anatiomaros!'

Suddodd yr haul; glasdduodd yr heli;
Yna'n waed ar y tonnau newidiodd
Yr hynt o aur. A'r bad yn ymado,
Ar lwybr yr haul heb ŵyro yr hwyliai,
A'i ferw eirias fel pedfai farworyn
O fron yr haul ar y dwfr yn rholio.

Gwywai'r lliw ym mhorth y gorllewin,
Dorau gwiw ei ysblander a gaewyd;
Duodd y môr, ac nid oedd mwy arwydd
O'r haul ei hun ar yr heli anial,
Onid bod draw ar eithaf yr awyr
Un eiliw tyner. Ar ganol y tonnau,
Un llygedyn o'r dwfn wyll a godai
O dro i dro ar drum y gwanegau.
A duai'r nos. Ar y dŵr yn isel,
E lamai y fflam, a phylai ymaith,
A chlywid olaf cri yn dyrchafu
Fry i'r nefoedd uwch gwenfro Wernyfed –
'Anatiomaros, aeth ar y meirwon!'

Crinddail

Beth sy'n trydar
Wrth y drws?
'Crinddail Hydref,
Ddoe fu'n dlws!'
Och! a glaned
Fuoch gynt,
Dowch i mewn
O'r glaw a'r gwynt!

Yn eich glendid
Ddyddiau gynt,
Cenid eroch
Gân y gwynt,
Wedi myned
Awr eich bri,
Gwael oedd troi
A'ch ymlid chwi!

Pam y daethoch
At fy nrws?
'Am y carut
Bethau tlws!'
Och! a glaned
Fuoch gynt,
Dowch i mewn
O'r glaw a'r gwynt!

Madog

Wedi ei siomi gan greulondeb dynion at ei gilydd, a chan drachwant a gormes y byd, mae Madog ab Owain Gwynedd, yng nghwmni ei hen athro, y mynach Mabon, a'i lynges, yn hwylio i chwilio am wlad well. Yng nghaniad olaf yr awdl sonnir am longddrylliad y llynges mewn storm enbyd, gan gynnwys Gwennan Gorn, llong Madog ei hun.

Un dydd, ar y meithion donnau, â hi yn
                brynhawn, disgynnodd
Distaw ddisyfyd osteg, cwsg fel am bopeth yn
                cau;
Awel a huan dan lewyg, a'r heli a'r hwyliau'n
                llonydd,
Mudan a diymadferth oedd maith unigrwydd
                y môr;
Golwg pob dyn ar ei gilydd, holai ba helynt
                oedd agos –
Eigion, pan ddatlewygo, dyn ni ŵyr ddyfned
                ei wae!
Yna, o'r awyr y rhuodd rhyw drwmp hir
                draw'n y pellteroedd,
Taenodd iâs dros y tonnau a gwyllt fu
                brysurdeb gwŷr;
Eiliad na threfnwyd yr hwyliau, a byrr cyn
                berwi o'r dyfroedd,
Yna, tarawodd y trowynt nef ag eigion yn un.

Llanwyd y nef â dolefau tafod cyntefig y
tryblith,
Ochain ag wylo a chwerthin croch yn
nhraflwnc y rhu;
Hwythau y llongau, oedd weithian fel us o
flaen ei gynddaredd,
Trochent yn niflant y rhychau a chrib y
mynyddluwch rhwth,
Mawr yr ymladdai'r morwyr yn nhwrf y
cynhyrfus elfennau,
Dreng gyfarfod â'r angau, cad heb na gobaith
nac ofn;
Drylliwyd y môr yn droëllau, treiglwyd trwy
wagle'r ffurfafen,
Rhwyg fel pe llyncai rhyw eigion gwag holl
angerdd y gwynt.
Yna'n ôl araf wahanu o'r ewyn a'r awyr
eilwaith,
Gwennan ei hun yn unig oedd mwy ar
ddyfroedd y môr;
Breuon fel brwyn fu hwylbrennau y llong rhag
llam y rhyferthwy,
Llyw a aeth, a chanllawiau, a'i hais,
datgymalwyd hwy.
Distaw rhwng asiad ei hestyll iddi'r
ymdreiddiai y dyfroedd,
Ennyd a'r angau'n dringo o fodfedd i fodfedd
fu;

Gair ni lefarwyd ond gŵyrodd Madog, a mud
y penlinodd,
Ufudd y plygodd hefyd ei lu yn ei ymyl ef;
Yna, cyfododd y Mynach ei law a'i lef tua'r
nefoedd,
Arwydd y Grôg a dorrodd, a'i lais a dawelai
ofn;
Rhonciodd y llong, a rhyw wancus egni'n ei
sugno a'i llyncu,
Trystiodd y tonnau trosti, bwlch ni ddangosai
lle bu.

Argoed

(Detholiad)

Argoed, Argoed y mannau dirgel . . .
Ble'r oedd dy fryniau, dy hafnau dyfnion,
Dy drofâu tywyll, dy drefi tawel?

Tawel dy fyd nes dyfod dy dynged
Hyd na welid o'i hôl ond anialwch
Du o ludw lle bu Argoed lydan.

Argoed lydan . . . Er dy ddiflannu,
Ai sibrwd mwyn dy ysbryd, am ennyd,
O ddyfnder angof a ddaw pan wrandawer . . .

Pan fud wrandawer di-air leferydd
Y don o hiraeth yn d'enw a erys,
Argoed, Argoed y mannau dirgel?

Penmon
(i W.J.G.)

Onid hoff yw cofio'n taith
Mewn hoen i Benmon, unwaith?
Odidog ddiwrnod ydoedd,
Rhyw Sul uwch na'r Suliau oedd;
I ni daeth hedd o'r daith hon,
Praw o ran pererinion.

Ar dir Môn, roedd irder Mai,
Ar ei min, aerwy Menai
Ddillyn yn ymestyn mal
Un dres o gannaid risial;
O dan draed roedd blodau'n drwch,
Cerddem ym mysg eu harddwch;
E fynnem gofio'u henwau
Hwy, a dwyn o'r teca'n dau,
O'u plith, ond nis dewisem, –
Oni wnaed pob un yn em?

Acw o lom graig, clywem gri
Yr wylan, ferch môr heli;
Hoyw donnai ei hadanedd,
Llyfn, claer, fel arfod llafn cledd;
Saethai, hir hedai ar ŵyr
Troai yn uchter awyr;

Gwisgi oedd a gosgeiddig
Wrth ddisgyn ar frochwyn frig
Y don, a ddawnsiai dani;
Onid hardd ei myned hi
Ym mrig crychlamau'r eigion,
Glöyn y dwfr, glain y don.

A'r garan ar y goror,
Draw ymhell, drist feudwy'r môr;
Safai'r glaslwyd freuddwydiwr
Ar ryw dalp o faen, a'r dŵr,
Gan fwrw lluwch gwyn ferw y lli,
O'i gylch yn chwarae a golchi;
Yntau'n aros heb osio
Newid trem, na rhoi un tro,
Gwrandawr gawr beiston goror,
Gwyliwr mud miraglau'r môr.

Cyrraedd Penmon ac aros
Lle taenai'r haf wylltion ros
Ar fieri'n wawr firain,
A gwrid ar hyd brigau'r drain.

Teg oedd y Mynachty gynt,
Ymholem am ei helynt,
Ag o'r hen bryd, ger ein bron,
Ymrithiai'r muriau weithion;
Berth oedd waith ei borth a'i ddôr,

A main ei dyrau mynor;
Nawdd i wan ei neuadd o,
A glân pob cuddigl yno;
Meindwr y colomendy
Dros goed aeron y fro fry
Yn esgyn i hoen ysgafn
Wybren lwys, fel sabr neu lafn;
A than y perthi yno,
A nennau dail arno'n do,
Hun y llyn hen yn llonydd
Is hanner gwyll drysni'r gwŷdd.

Ar y ffin roedd oer ffynnon,
Ag ail drych oedd gloywder hon;
Daed oedd â diod win
Ei berw oer i bererin.

Ac yna bu rhyw gân bêr,
Ym mhen ysbaid, mwyn osber;
Cyweirgerdd clych ac organ,
Lleisiau cerdd yn arllwys cân
I lâd nef, gan Ladin iaith;
Ond er chwilio'r drych eilwaith,
Mwy nid oedd namyn y dail
Prydferth hyd dalpiau'r adfail,
A distawrwydd dwys tirion –
Mwy, ni chaem weld Mynaich Môn!

Unwaith daw eto Wanwyn

*'Wrth glywed aderyn yn canu ar odre Pen Dinas,
Aberystwyth'*

Unwaith daw eto wanwyn
Dolau glas a deiliog lwyn,
A gwe o liwiau gloywon
A wisg frig mân wrysg y fron;
Goleuni haul glân a'i hud,
Geilw eilwaith ddirgel olud
Y bywyd a fu'n huno
Ennyd yn grin dan y gro;
A phêr fydd cân ederyn
O'i werdd glwyd ar ffridd a glyn,
A'i ddibryder leferydd
Fel rhyw dwf o olau'r dydd!

Hen iawn yw hyn a newydd, –
Er hyned, ifenged fydd!
Yn ôl y gwanwyn olaf,
A ddaw i ddyn ddyddiau haf?

Hydref

'Golygfa yn Nyffryn Clwyd'

Gwelais fedd yr haf heddyw, –
Ar wŷdd a dail, hardded yw
Ei liwiau fyrdd, olaf ef,
Yn aeddfedrwydd lleddf Hydref.

Ar wddw hen Foel Hiraddug,
Barrug a roed lle bu'r grug;
A thraw ar hyd llethr a rhos,
Mae'r rhedyn fel marwydos
Yn cynnau rhwng y conion,
A than frig eithin y fron.

Rhoddwyd to o rudd tywyll
Ag aur coch hyd frigau'r cyll;
Mae huling caerog melyn
Wedi'i gau am fedw ag ynn,
A'r dail oll fel euraid len
Ar ddyrys geinciau'r dderwen.

Ba wyrth wir i'r berth eirin
A fu'n rhoi gwawr ddyfna'r gwin,
A rhudd liw gwaed ar ddail gwŷdd
Gwylltion a drain y gelltydd?
O drawster Hydref drostynt,

A waedai'r haf wedi'r hynt?
Ai ufudd oedd ei fodd ef
Wrth edryd i wyrth Hydref
Orau rhwysg ei aur, a rhin
Ei flasus rudd felyswin?

Edrych, er prudded Hydref,
Onid hardd ei fynwent ef?
Tros y tir, os trist ei wedd,
Mor dawel yma'r diwedd!
Nid rhaid i Natur edwi
Yn flin neu'n hagr, fel nyni;
Onid rhaid Natur ydyw
Marw yn hardd er mor hen yw!

Y Bedd

'Nox est perpetua una dormienda'
                    Catullus

Y Bedd, ddu annedd unig, ynot ti
Is tawel ywen frig, mae huno mwyn;
Angof a ddaeth ar ing fu ddig, a chŵyn;
Arefi bob rhyw ryfig; nid oes gri
A gyrraedd trwy dy gaerau, mwy na si
Mân sôn yr awel frau ym mrig y llwyn;
Ni ŵyr dy dduon oriau unrhyw swyn
Na hwyl a bair fwynhau ein horiau ni;
Cariad nid yw yn curo dan y fron,
Nid edwyn frad a fo yn d'angof maith;
Drwg wŷn ni odrig yno, lleddf na llon,
Un dawn nid oes dan do yr argel llaith;
Dim, – oni roed mai yn yr adwy hon
Y daw ar ddyn freuddwyd nad edrydd iaith!

Barrug

'Pan sylweddolais fod fy ngwallt wedi gwynnu'

Mi welais îr gawodau
Y Gwanwyn gynt, a'i flodau,
A'i firain wedd o fore i nawn
Oedd lawn o ryfeddodau.

Mi welais Haf oedd dirion
Yn glasu'r dolau irion,
Heb ddim a dduai heulwen haf
Y dyddiau araf, hirion.

A minnau a'm cymdeithion
I gyd yn brysur weithion,
Fe gwympodd llawer yn eu brys
Ar lwybrau dyrys, meithion.

A doe, pan led arefais,
I gofio'r Haf, mi gefais
Fod Barrug Hydre'n britho'r bryn,
A minnau, syn y sefais!

Ar y Ffordd

(Yn Iwerddon)

*'Hen gerddedwr o Wyddel yn siarad
Gwyddeleg yn y wlad rhwng Cork a chyfeiriad
Kerry. Lleferydd ac ymddygiad gŵr bonheddig
ganddo.'*

Bore da, syr, a roech chwi flewyn
O faco i greadur tlawd? –
Mae o'n dda at dorri newyn
Pan fo dyn yn ddrwg ei ffawd.

Diolch yn fawr, syr; pe bawn i
Yn clywed eich holi, ddydd brawd,
Mi dystiwn, yn wir, pe cawn i –
Rhoes faco i greadur tlawd.

Nyth Gwag

(Bro Gynin, Rhagfyr 1910)

O rhoes Dafydd gywydd gwin
Ogoniant it', Fro Gynin,
Ar wastad oer dristed wyt,
Mor ddi-nod, murddun ydwyt.

Prydferth ar bob rhyw adfail
Er ei brudded, dudded dail,
Pan rydd heulwen lawen liw
Ei aur iddynt. Eithr heddiw
Ni edy'r haul gyda'r hwyr
I'w liw o'r lwydwelw awyr
Euro dy furiau oeraidd
A'i lanw byw. O lwyn ni baidd
Ederyn bychan dorri
Ar dy oer farweidd-dra di.
Arnat ti yn addurn tew
Ni rodded dail yr eiddew,
Drylliau mud oerllwm ydwyt,
Darn o wae, mor druan wyt.

Agennwyd dy barwydydd,
O'th fewn swrn o'th feini sydd;
Ar d'aelwyd lle bu'r delyn,
Drysi glas a llwydrisgl ynn
A dyf, a'u cnapiog defyll
Fel crafangau angau hyll.

A'r nyth ym mlaen y ddraenen,
Tithau, rwyt fel hwythau'n hen!
Un dydd, gywreinied oeddut,
Onid sâl weithian dy sut?
Toredig gartre ydwyt
Ac adfail mewn adfail wyt.

Mae'r seiri a ddaeth mor siriol
I'r drain hyn ryw dro yn ôl
I'th lunio? Maith lawenydd
Fuost i'r ddau feistr, ryw ddydd.
Pan oedd gwanwyn yn dwyn dail,
Haen ieuanc ar hen wiail,
Y daeth dy bensaer dithau,
Lifrau wych, i lafar wau
Ei gerddi yn nail gwyrddion
Y coed sy fry ar y fron;
A'i ddwbled hardd o blu têr,
A'r gwawl yn euro'i goler,
Trydar am ei gymhares
Yno'r oedd yn un o res
O feistri yn y gwiail,
Mwynion doniaduron dail;
Ac o'r haid y gorau oedd,
Arglwydd hud ar glawdd ydoedd,
Ac nid oedd ganiad addwyn
Nad eiliai ef o'i dew lwyn,
Oni ddug ei gynnydd o
Addurn y coed yn eiddo.

Ba ryw ddydd a wybu'r ddau
Yn dethol dy le dithau
A dwyn hyd yno'r deunydd
O glai a gwellt, osglau gwŷdd,
A'i eilio, ar hen aelwyd,
Yno'n nyth i'r un hen nwyd --
Llawena tasg llunio tŷ
Oedd hoen y dyddiau hynny!
Diddos y magwyd deuddeg
Ynot ti o gywion teg,
Meibion toniaduron dydd
Cariad ifanc hir Dafydd;
Ai rhai gynt ohonynt hwy
I Ddafydd a rôi ddeufwy
Nwyfiant, pan wyliai'n ofer,
Gan wrando eu pyncio pêr,
Am Forfudd i ddyhuddo
Galw ei daer ddisgwyliad o?

A fu hithau, fun foethus,
Neu Ddyddgu wiw, ael lliw llus,
Yn gwrando'r pêr ederyn
O'r wig las a lanwai'r glyn
A'i hyfrydlais afradlon,
Afieithus wyllt foeth ei sôn?

Dôi Morfudd wâr yn araf
Ar ei hynt ryw fore haf
A'u clywed hwy'n cael oed dydd

A galw bawb am ei gilydd
Heb daw; a thua gwrandawai
Yno'n hir, dihuno a wnâi
Nwyd oesoedd; neidiai iasau
Eu gwawd gwyllt i'w gwaed, a gwau
Yn ei llygaid holl eigion
Melyster neu brudd-der bron,
Awydd ac ofn, bodd ac aeth,
Galwad taeraf glud hiraeth!
Gwrid îr oedd yn gwawrio dros
Loyw donnen liw ôd unnos
Y fun a'i glân fwnwgl hi
Gan dân yn gwineu donni,
A'i deufin rudd liw dwfn ros
Yn agoryd ac aros
Heb lais mal pe bai lesmair
Yn lluddio gwên, yn lladd gair.

Ond di-raen nyth truan wyt,
Gadawedig dŷ ydwyt;
Noddaist gerddorion addwyn –
Heno, mae eu canu mwyn?
Heddiw ofer am Ddafydd
Ofyn gair o fewn y gwŷdd,
A'r unwedd, ni cheir heno
Weled un o'r annwyl do
A fu ynot fyw unwaith
Am awr rhwng dau angof maith.

Pelydryn

'Peth a ddigwyddodd ar yr heol yn
Aberystwyth'

Rhedodd allan o ryw lôn gefn gul,
Yn bennoeth, drwy'r gwynt a'r glaw;
Gwallt bach melyn, a llygad glas;
Balŵn fach wrth linyn yn ei llaw.

'Datod!' meddai, a'i phen bach yn gam,
Ac estyn y belen i mi;
Cwlwm go ddyrys, ond daeth yn rhydd
Ymhen rhyw ddau funud neu dri.

Un wên a gefais, fel heulwen haf,
Ac yna, i ffwrdd â hi;
Byr fydd ei chof am y peth, mi wn,
Ond byth nid anghofiaf i.

Rhosynnau

Wrth weled blodau'r Rhodondendra gwynion
yn sefyll, a'r lleill wedi syrthio, Cwm Cynfelyn,
Mai 1923

Greso i bob gwir rosyn
Sy'n y cae, rhosyn coch a melyn,
Ond, pe prisid pob rhosyn,
Rhoeswn gant er rhosyn gwyn.

Glaw ym Mai

Cnufau cymylau fel mur
Adwyog rhwng daear ac asur,
Dioglyd fôr nad eglur,
Llyfn oedd ef fel llafn o ddur.

Yr Englyn

Di wall we'r deall a'i waith,
Dil moddus yn dal meddwl perffaith;
Cain lurig cynnil araith,
Enaid byw cywreindeb iaith.

O Waith Blake

Ni byddai bur dosturi
Yn y byd oni bai drueni
Nag am drugaredd weddi
Be bai'n ail ar bawb i ni.

Gweled nef ym mhlygion blodyn,
Canfod byw mewn un tywodyn,
Dal mewn orig dragwyddoldeb,
Cau dy ddwrn am anfeidroldeb.

Yno

Gwelais long ar friglas li,
A'r heulwen ar ei hwyliau'n gloywi;
Awyddwn am fynd iddi –
Oes a ŵyr ei hanes hi?

Gwelais dud drwy glais y don
A'r heulwen ar ei haeliau'n dirion;
Awn yno, finnau'n union –
A oes a ŵyr hanes hon?

Cyfaill

'Ar y llannerch lle claddwyd Pero dros 40
mlynedd yn ol'

Piau'r bedd o dan y pren,
Heb garreg nag ysgrifen?
Pero, puraf tan y nen.

Er ei fwyn, rhof innau dro, –
Pe gwyddai fy mod yno,
Duw! o'i fedd cyfodai fo!

Rhosyn hwyr

Di, rosyn hwyr y drysi,
Ai rhaid oedd dy ddeffro di
I'th ddeifio'n aberth ofer
I iâs fain rhyw un nos fer?

Owain Glyndŵr

Rhyw fore oer ar Ferwyn
Roedd Abad Glyn y Groes
Yn crwydro'n gynnar, gynnar,
A'i fron oedd lawn o loes.

Am Gymru y meddyliai,
A'i chreulon helbul hi,
A cheisiai ddal ei ddwylo
Ar res y rosari.

Meddyliai am ddiflaniad
Glyndŵr â'r galon dân,
A dwedai: 'Och! ei fyned
I rywle ar wahân'.

Ar hynny'n dyfod ato
O'r niwl, fe welai ŵr,
Ai rhith a safai yno?
Ai ysbryd oedd Glyndŵr?

'Ha! wele chwi, Syr Abad,
Rhy fore yw eich taith!'
A'r wên a welai'r Abad
A welsai lawer gwaith.

A'i galon ynddo'n neidio,
A'i law'n gwneud llun y Groes,
Atebodd – 'Nage, f'arglwydd,
Chwi sydd o flaen eich oes'.

A hir edrychodd Owain,
A'i wyneb draw a drodd,
Sibrydodd 'Ie!' Yna,
Ai niwl y bryn a'i todd?

Gloyn Byw

Doe gwelais gyda'i gilydd
Ddau löyn gwyn rhwng y gwŷdd;
Ai deuddyn yn mynd oeddynt
Heibio er gweld hen lwybrau gynt?

Gwennol

*'Wrth eu gweld yn ymgasglu ar do'r Chemical
Lab., Aberystwyth'*

Y wennol, dywed inni
Ar y daith i ble'r ei di?
A myned, pam, y wennol,
Y doi i'th hen nyth dithau'n ôl?

Bywyd

Da a bai ydyw bywyd,
Heb dda a bai ni bydd byd.

Pa beth ydyw byw a bod?
Nwyd ofer, yna difod.

Cywir hanes byd cryno
Fyth o raid yw twf a thro.

Ofered oedd y ferr daith –
Anwyled gael hon eilwaith!

Brwydro'n lew am ffydd newydd,
Ar hynny ffoi i'r hen ffydd.

Onid gwell un Pab bellach
Na degau o babau bach?

Difa o dafod bob defod,
A dyfod defod o dafod.

Cot ffwr Cati a'i ffroc gwta –
Drysu dyn dirodres da.

Na thraetha'n lew dy newydd –
Onid oedd hen cyn dy ddydd?

Gwylied a ddywed ddeuair
Rhag ofn mai ofer rhoi gair.

Ba ddawn well, lle byddo, 'n wir,
Na'n gweled fel y'n gwelir?
Am unwaith pe caem honno,
Dyn ni fâi nad mudan fo.

Gwir a Gau

O dywedi'r gwir didwyll,
Dywed byd nad da dy bwyll.

Oni ŵyr pawb mai gwir pur
Yw popeth fo'n y papur?

Y bryntaf peth a brintir,
Coelia. Nid gwaeth cael nad gwir.

Ofer goel, neu fawr gelwydd,
Coel o fath nas coeli fydd.

E geir Gwell, mewn gwir a gau,
Beth, ai gair, byth, yw Gorau?

O leihau'r bai, gloywir byd,
Heblaw'r bai, b'le'r ai bywyd?

Yn nulliau dyn ni ellir,
Heb rifo ar y gau brofi'r gwir.

Blodau Ffa

O! pan fydd y ffa'n blodeuo,
Gwyn ei fyd a'u harogleuo,
Pe bai'n hen a thrwm ei galon,
Ef âi eiliad o'i ofalon.

Gyda'r persawr yn ei ffroenau,
Fe anghofiai bwn ei boenau,
O! pan fydd y ffa'n blodeuo,
Gwyn ei fyd a'u harogleuo.

Senghennydd

Cerddais y dref yng nghil y dyffryn gwyw
Drwy niwl a glaw a mwg y pyllau glo;
Gwelais eglwysi lu, yn dwyn ar go
Hiraeth y miloedd am dangnefedd Duw,
A gorffwys rhag blinderau dynol ryw;
Ond pwysai duach cysgod ar y fro
Na mwg y pyllau, cysgod trwm y tro
A roisai'r cannoedd mud yn aberth byw
Ar allor golud Rhai. A thraw mewn tŷ,
Roedd gwŷr y gyfraith ac arglwyddi gwanc
Y llogau mawrion, wrthi'n holi'n hir
Ar bwy yr oedd y bai, pa fodd y bu
Ysgubo'r cannoedd i druenus dranc:
Er nad oedd yno un na wyddai'r gwir.

Y Bachgen

'Hen ŵr cloff ar lan yr Eigion
A'i bocedi oll yn weigion,
Beth yr ydwyt yn ei wylio?'
'Dim ond llong sydd acw'n hwylio.'

Y Dynged

Bore godi, hwyr noswylio,
Byw yn gul, ymboeni, gwylio,
Cribo, drabio'n fawr dy drwbwl,
Gwedi'r ceibio – gado'r cwbwl.

Pa Waeth?

'Tithau mewn bedd a gleddir.'
'Hynny a wn innau'n wir.'
'Yno ni bydd lawenydd.'
'Nac yno boen, gwn na bydd.'
'Yn d'oer fedd y darfyddi.'
'Pa waeth, oni wypwyf i?'

Cyffes

(I chwe bardd o lowyr a gyhoeddodd lyfr prydyddiaeth)

Ni wn gelfyddyd torri'r glo na'i dynnu,
A fferrai'r byd o annwyd, o'm rhan i;
Dysgasoch chwi gelfyddyd iaith, er hynny,
Ni byddai'r byd heb lyfrau, o'ch rhan chwi;
Nid oes i mi ond darn celfyddyd hen
Wrth ŵr a godo lo, a gadwo lên.

Lladron

B'le daw ar neb ladron waeth
Na lladron y llywodraeth?

Un o'r ddau

Gad heibio dy gydwybod,
Yna ti gei lond dy gôd.

Beirniadaeth

'Ni bu ei well!' 'Ni bu waeth!'
Ba'r un ydyw beirniadaeth?

Cyngor

Pan fo hwyl go sâl iti,
Gwaedda 'Rialiti!' –
Odid na thâl iti.

Gwahaniaeth

Os mynni ddysgu estron iaith,
Bydd hynny yn d'enwogi;
Os perchi felly iaith dy fam,
Waeth iti fynd i'th grogi.

Cynddilig

*Dirmygid y mynach Cynddilig gan ei dad Llywarch Hen am
ei natur heddychlon a oedd mor wahanol i natur ei feibion
eraill. Ar ôl brwydr arbennig daw Cynddilig o hyd i gorff
Gwên, yr olaf o'i frodyr, ac yn y darn cyntaf isod ceir ef yn
dwyn ar gof eu plentyndod. Yn yr ail ran disgrifir
marwolaeth ddewr Cynddilig ei hun wrth iddo achub bywyd
caethes, a galar ei dad, a'i hadnabu'n rhy hwyr.*

1

Yna daeth, yng ngwacter ei enaid ef,
fraidd gof am ei foreddydd gynt,
gynt, pan oedd Gwên ag yntau
yn blantos heb wae a helyntion,
yn nydd y diniweidrwydd di-nam.

Agorodd ddau lygad gwirion,
yn syn, canys fel plentyn y syniai;
gwelai'r dref wen ym mron y coed,
heb y gwaed ar wyneb ei gwellt,
a'i thai heb eu difa â thân;
a'r ychen, pan fyddai awr echwydd,
yn pori o'r meillion peraidd;
clywai glychau eglwysau Basa,
cân y Brodyr yn y côr,
a chrïau'r plant wrth eu chwaraeon,
a'r cŵn yn cyfarth o'r coed.

A Gwên a welai rhwng y gwŷdd,
a'i ben melyn bach,
a dau lygad las,
ddiniwed, addwyn, ieuainc,
a mabiaith brydferth a chwerthin ar ei fin efô –
Dduw mawr! pam nad hynny oedd, mwy?

Gwên a'i golomennod gwynion,
dofion, i'w ddwylaw'n dyfod,
neu ddisgyn ar ei fraich a'i ddwy ysgwydd,
gan sôn ac anwesu ei wyneb,
yn dyner â'u pennau sidanaidd,
heb un nad atebai i'w henw –
chwiorydd â'u brawd yn chwarae –
Gwên! ni bu gwyllt
na bai ddof lle byddai Wên!

A daeth y cof adwythig hefyd –
Gwên yn ei wely gwaed,
yn ei waed a'i galon yn oer,
a'i fin yn fud,
heb win na medd, heb wên mwy . . .

Torri o 'sgrech ar y distawrwydd
a throsodd o'r llethr isod
i mewn i gysgod y mur,
fel ergyd y daeth rhyw gaethes,
a honno'n dyheu am ei hanadl,
a'i gwisg yn goch gan ei gwaed.

Safodd, â chri o ddeisyfiad,
yna, wrth draed yr henwr,
a'i dwylaw ymhlêth, ar ei deulin
y gŵyrodd, ac ni thawai â gerain,
gan ei hing ac yn ei hofn.

Ac ar ei hôl yn greulon
wele dorf â gwaedlyd arfau
o wŷr y Mers yn adwy'r mur.

Ac â'r rhai blaenaf yn arafu,
un a'i saeth ar ei linyn
a'i olwg ar y gaethes welw,
cerddodd y mynach i'w cwrddyd
a safodd rhyngddi hi â hwy.

Safodd gwŷr y Mers hefyd
a'u golygon yn gwylio o ogylch,
yn barod rhag bod rhyw berigl.

A chyfododd y mynach ei law a gofyn yn dawel:
'Ai camp gennych ymlid y caeth
a gorfod ar y sawl ni ddwg arfau?
ai hyn fydd eich defod a'ch hanes?'

Hwythau, tewi a wnaethant
yn eu syndod, canys undyn
ni safai rhag nifer a'u herio,
heb arf yn y byd,
heb nac ofn na bod iddo neb yn gyfnerth . . .
ai dewr ai ynfyd oedd?

A'r mynach, wedi arhoi am ennyd
wyneb yn wyneb â hwy,
a droes at y gaethes ac a drwsiodd
y brath oedd drwy fôn ei braich.

Ac o'i weled, gan ryw fud gywilydd,
a ddaw dros ddyn
o flaen gŵr heb ofal nac ofn,
araf gilio o'r dorf fygylus,
a myned rhwng y meini,
rywdro a roed i ddiffryd yr adwy,
o'r golwg, tua'r gwaelod,
onid un, a oedai yno,
ar odre maen ar gyfer adwy'r mur.

Ennyd a fu nad oedd hwnnw
ar ei lin a'i saeth ar ei linyn,

a drwg yn ei drem;
a thynnodd ei fwa a chymerth annel,
yna gollyngodd; suodd a suddodd y saeth
i mewn drwy bwll calon y mynach.

A'r rhyswr nid arhosodd,
namyn llercian ymaith.

Yntau Gynddilig, heb gymaint ag un ddolef,
na gair, yn ei loes ymgroesodd,
a chrynodd, a breichiau'r henwr yn ei ddal.
A threngodd Cynddilig.

* * *

A'r hen ŵr yn ei wae,
heb un mab o'i feibion, mwy,
dyrysai, ymsoniai'n syn:
'Gynddilig! dy gwyno oedd ddyled;
yn d'olwg ni safai d'elyn,
a chan buost fab im ni thechaist;
ofered fu roi dy fywyd
er mwyn fy nghaethes o'r Mers! . . .
och, Gynddilig na fuost unben
a elwid yn nydd rhaid,
ti, nad eiddot oedd
nag arf
nag ofn!

A thraw yn yr aither rhydd,
nofiai tair colomen wen wâr

Un noswaith

Pan oedd y Cenhedloedd Duon yn herwa hyd y glannau,
yn yr wythfed a'r nawfed ganrif, byddai eu hofn ar lawer
yn Iwerddon a Chymru. Un noswaith ystormus,
gwrandawai rhyw hen Fynach Gwyddelig ar ru'r gwynt,
a chollodd ei ofn am y nos honno. Gwnaeth bennill bach,
a'i ysgrifennu ar ymyl dalen llyfr. Dyma fo:

Chwerw ei rhu yw'r chwa'r awr hon,
rhwyga wyn wallt yr eigion; –
trwy y dwfn, nid rhaid ofni
gwŷr Llychlyn i'n erbyn ni!

Llyfryddiaeth

Cymerwyd y detholiadau hyn o waith T. Gwynn
Jones o'r llyfrau canlynol:

Awen y Gwyddyl (1922)

Manion (1930)

Caniadau (1934)

Y Dwymyn (1944)